中国画基础技法丛书·写意花鸟

鱼类

YULEI

黄忠耿◎著

ZHONGGUOHUA JICHU JIFA CONGSHU XIEYI HUANIAO

广西美术出版社

序

中国画艺术是中国传统文化的一个特殊的艺术样式和符号，它是中国传统文化及审美精神的载体，有着鲜明的艺术特色和强烈的视觉审美特征，是东方艺术的主要代表形式。中国画艺术随着中华文明的发展而发展，源远流长。虽然到了魏晋南北朝，才有较明显的形式特征，但其作为中华文明史的绘画形态，可上溯到人类文明的早期。隋唐以降，中国画艺术更是繁荣发展，成为与西方绘画并立的人类艺术发展的重要的绘画形式。中国画艺术强调“写意精神”，通过“应物象形”写心中之情怀，达“气韵生动”，表达精神意境的审美目的。其语言主要因素——笔与墨，在千变万化的表现中呈现出独特的视觉审美特点，笔墨“传神”而见精神。因此，掌握笔墨的变化，是学习中国画艺术的基本要求。

《芥子园画谱》是人们熟悉的学习中国画的入门指南，古代没有专门的艺术院校，只有师徒的传授和学习《芥子园画谱》。如今，艺术学院林立，但学习传统中国画，仍须从传统经典范本及《芥子园画谱》中的法则学习。因时代发展和中国画的发展，原有的范本已不太适合和满足人们的学习需求，所以，各类中国画的基础入门辅导书刊应运而生，但因为编者的艺术修养有限，质量参差不齐。

黄忠耿老师是岭南画派第二代代表画家黄独峰先生之子，从幼跟随其父习画，几十年如一日，研究中国画艺术，形成了自己的艺术风格并取得不俗的艺术成就。他长期在广西艺术学院任教，同时担任广西艺术学院成人教育学院副院长、教授，积累了丰富的教学经验。这套国画技法类教材，是他在自己艺术创作及教学实践中总结整理出来的经验，有较强的针对性和较直观易学的特点，特别是他撰著的《学一百通·写意花鸟画基础技法丛书》（《梅花》、《牡丹》、《鱼类》、《木本》、《禽鸟》、《藤本》共六册），更因多为他对中国画研究的心得之述，所以更为生动，深入浅出，易于学习。这套教材可作为学习中国画艺术的学生、爱好者一个很好的入门范本。现在，广西美术出版社出版黄忠耿老师这套丛书的修订本，因作者作为有较高艺术造诣的专家，而且编写内容以易懂易学、入门层次高的效果赢得读者的欢迎和好评，并在社会上产生了较广泛的影响。

一个好画家未必是一个好教师，因为创作和教人是两回事，但黄忠耿老师不但创作丰硕，还潜心教学，硕果累累。他同时把教育作为自己的执着事业，在市场大潮激荡的今天，这种淡泊名利的追求，可贵可敬！这种以传承中国画艺术为己任的担当和使命，一个知识分子的良知和品德昭然可见！衷心地祝贺黄忠耿老师著作再版，也期待着他有更多的作品奉献给广大读者。是为序。

谢 麟

2015年3月10日

（作者系广西美术家协会主席）

一、鱼类概论

江河湖海里的游鱼为大自然增添了无限的生机和趣味，鱼类也是我们生活物质的重要来源，如果我们周围的水域没有了鱼类，那将是一个多么严重的后果。而我们周围的鱼池、家庭的水族箱里可爱的观赏鱼丰富了我们的生活，增加了生活的乐趣，甚至于对陶冶情操、提高审美情趣起了一定的作用。因此，优美动人的鱼类往往就成了画家笔下的题材，以表达作者对生活、对自然的热爱及对美的一种追求。

鱼类品种繁多，而作为绘画题材的鱼类一般以观赏鱼为主，这里基于两个原因，一是观赏鱼经过人工多年的选择和培养，有着众多的品种，如金鱼、神仙鱼等，而且它们的色彩艳丽，形态动人优美，为人们所喜爱；二是因观赏鱼为人所饲养，就在我们周围，便于观察和写生。本书将介绍的鱼类画法也是以观赏鱼为主。

本书所介绍的是写意的鱼类画法，写意画包括写和意，写是运用书写的笔法，意则是人们对自然、对描绘对象的认识，把客观物体用较为主观的笔墨技巧表达于纸面上，它是作者审美观、艺术观甚至于世界观的充分体现，古人所谓“外师造化，中得心源”就是这个意思。当然主观的描绘来自于对客观的认识，两者并不矛盾，主观的描绘是借物表意，因此在画鱼时的造型、笔墨、色彩、构图等都带有主观的因素，这也是写意画的重要特点之一。

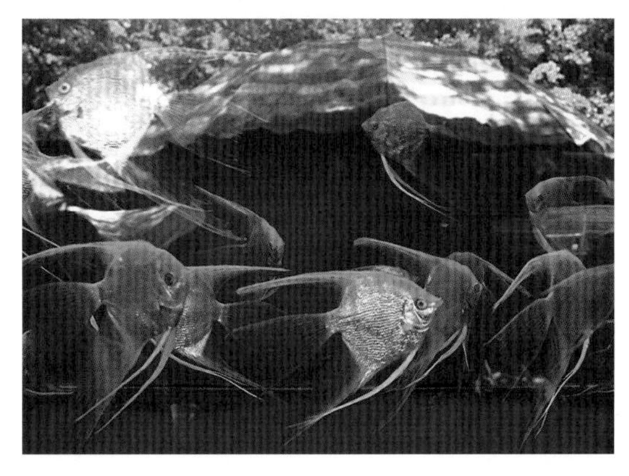
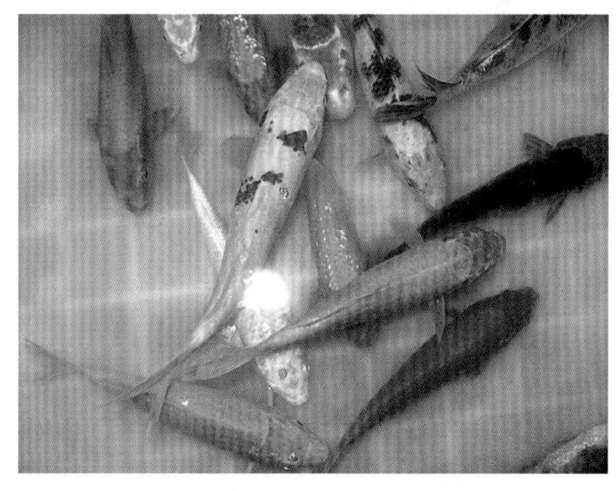

鱼类实物照片

二、鱼类的画法

（一）鱼类的体形特点

鱼类的体形千差万别，不同种类的鱼有不同的身体特征，甚至同种类而不同品种的鱼在体形上、颜色上也会有很大的差异，所以在学习画鱼的时候，首先要了解所画鱼类的体形及颜色的特点，方能较形象地去表现你所要画的鱼类。

这里介绍几种观赏鱼的体形特点，让读者对其有所了解及进行比较，这对于下面学习鱼类写意画法会有一定的帮助。当然学习画鱼最好还是对所画鱼类进行观察和写生，把所学到的画鱼技巧灵活运用到你所要表现的对象上，这样才能画出生动活泼的鱼类作品来。

（1）金鱼：金鱼是从鲫鱼人工培养出来的变异品种，金鱼品种繁多、形状各异，体形变得粗短、尾鳍变成两片四个尖，而且变得长而薄，游动时轻盈飘动显得非常优美。金鱼的色彩更是多彩而绚丽，常见的色彩有红、黑、金、银白、兰紫、花等。

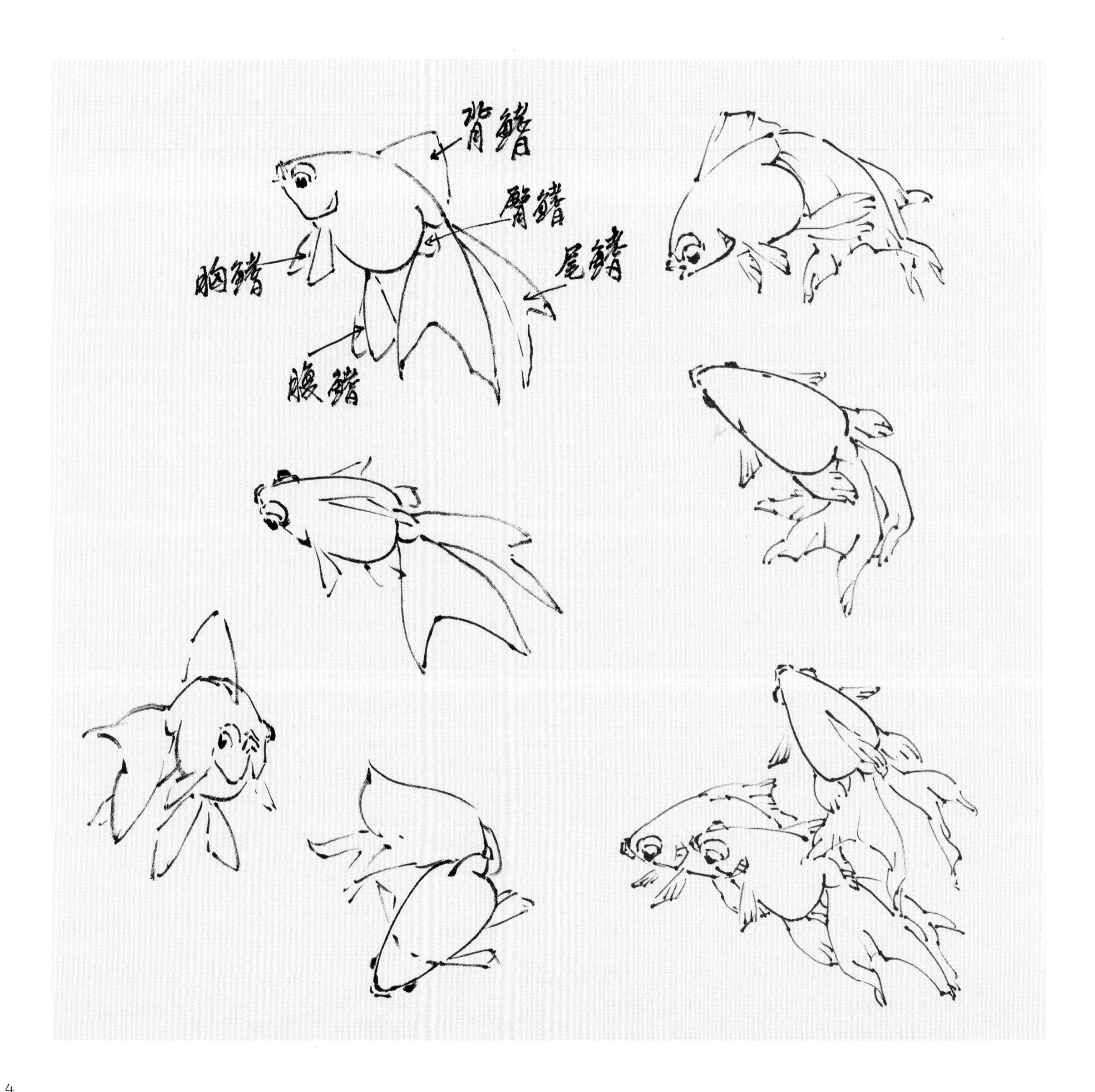

（2）锦鲤：锦鲤的体形和常见的鱼类相似，为流线形，有较好的游水速度和能力，经人工培养有不少品种，其品种间的区别主要是色彩上的不同，身体形状没什么变化。

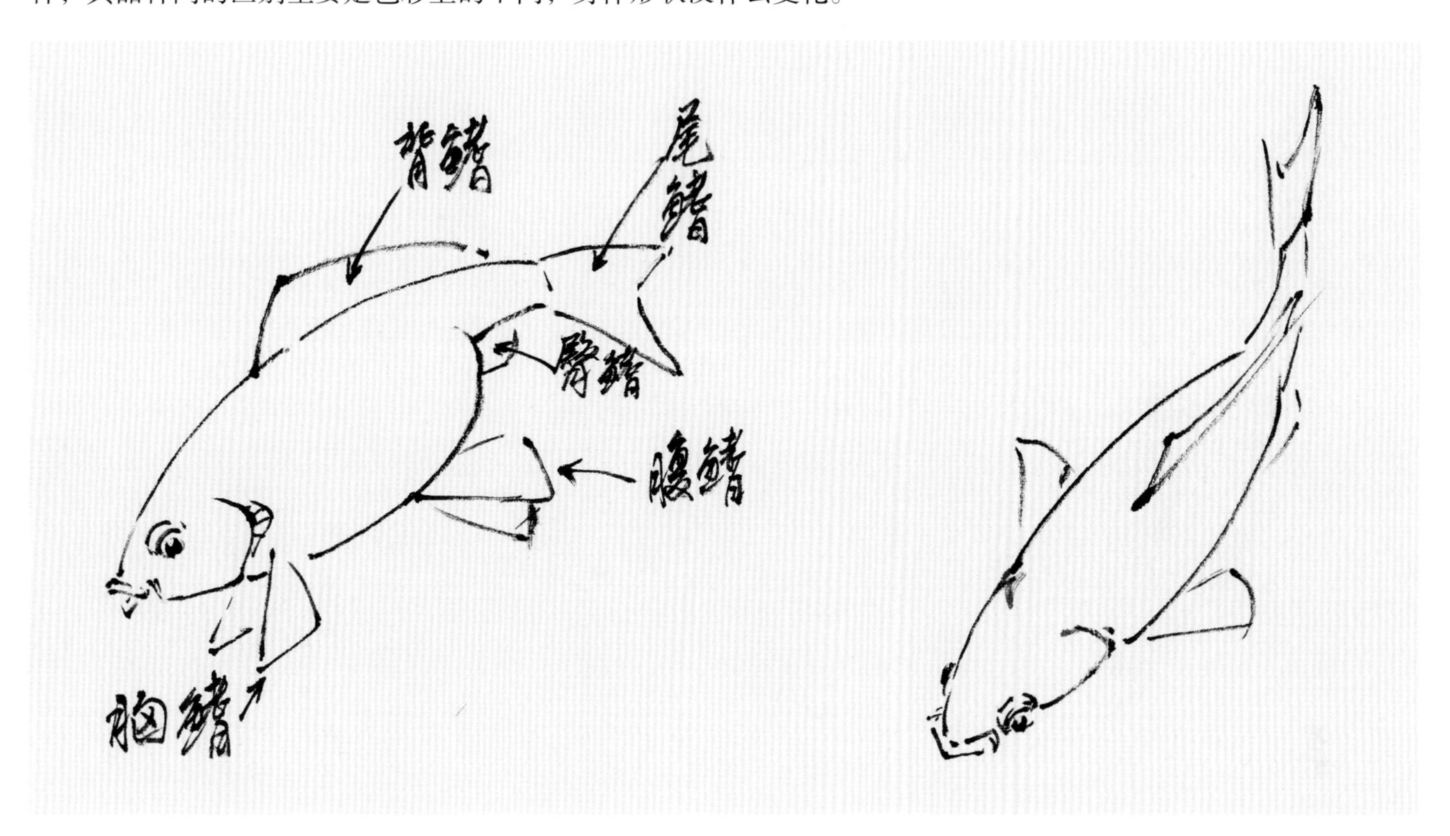

（3）神仙鱼：神仙鱼是原产于南美洲亚马孙河的淡水热带鱼，它身体扁平，鳍长，游动时飘逸如仙。经过人工培养也有许多品种，如黑神仙、花神仙、长尾神仙等，色彩也有多种变化。

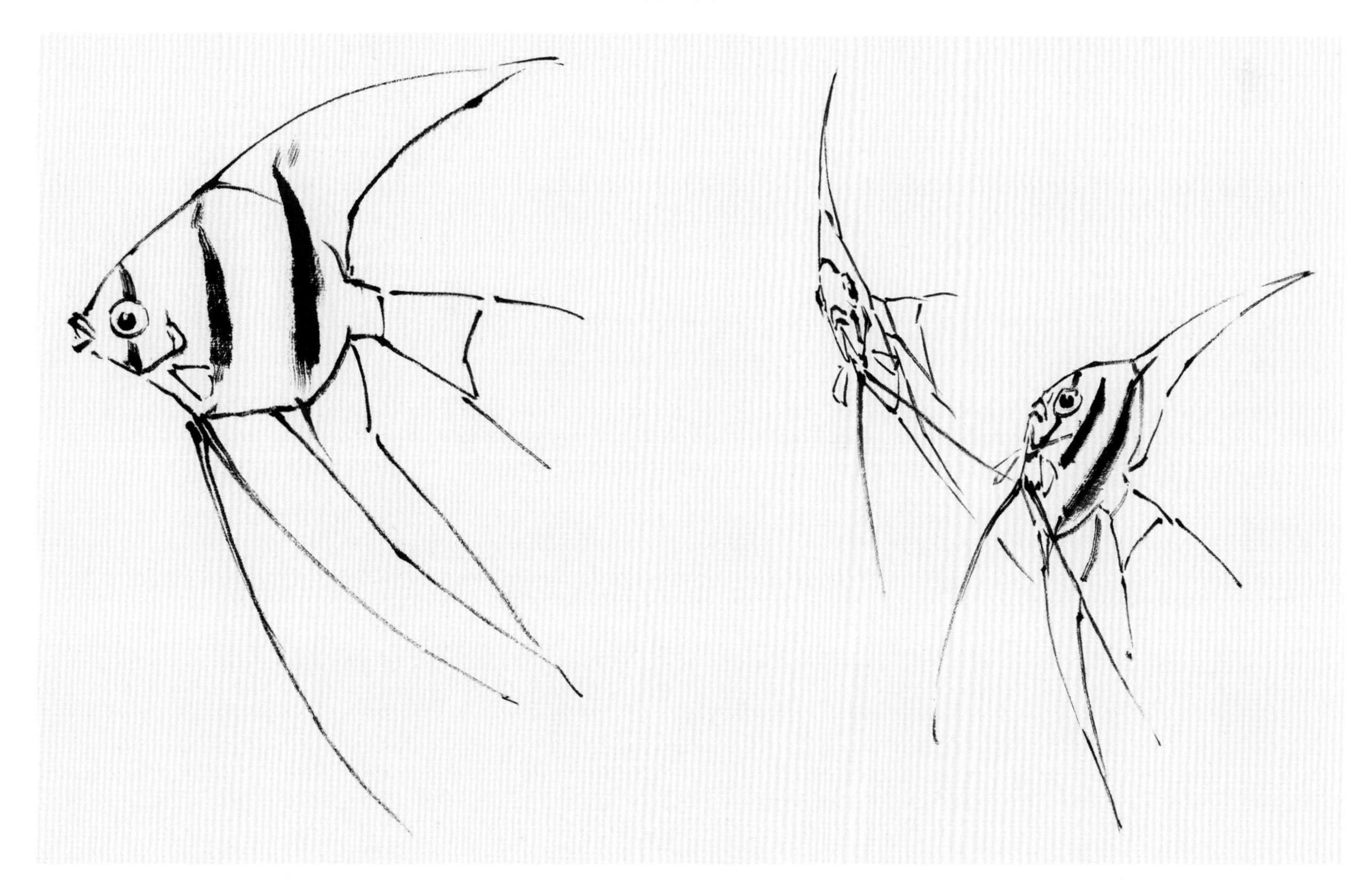

（二）写意鱼类画法

1. 金鱼

龙睛的画法：（1）调朱磦笔尖点曙红先画鱼的头部。（2）画眼和嘴。（3）画背鳍。（4）勾出鱼的身体，加胸鳍、腹鳍和臀鳍。（5）点睛、加尾鳍和收拾画面，这里用曙红加重鱼背的颜色，使鱼显得有分量。

以上步骤画鱼鳍多为偏锋用笔，笔尖和笔身的颜色（或墨色）浓淡不同，这样才能画出有浓淡变化的鱼鳍来。

说明：（1）也可在鱼鳍上加一些线以加强效果，还可根据需要给鱼身加斑点。（2）金鱼有各种颜色，应根据作者的想法去使用各种颜色，如图右方的金鱼用墨色来画。

水泡眼的画法：（1）先用赭墨没骨法画出金鱼的水泡眼。（2）调曙红点胭脂画头和嘴。（3）用墨勾鱼身，用淡赭墨画鱼鳍，再点睛。

说明：也可用勾勒法画水泡眼，如图右方的金鱼。

以上画法都属于勾点结合的方法，下例图中所示为没骨画法：（1）用曙红画头。（2）用淡墨画鱼身，注意墨色要有变化。（3）最后补鱼鳍。

说明：图中右方为全用墨色画的金鱼（没骨法）。

以上各种金鱼的画法请勿把它们绝对化，不要死记某一品种的鱼一定用某种方法来画，而是要先掌握金鱼的一些画法后，通过观察或写生，然后根据自己的感受灵活运用，创作出自己心目中美妙飘逸的金鱼形象。这里再举几种不同品种或不同画法的金鱼为例。

2. 神仙鱼

（1）先用焦墨画眼眶，然后画鱼背，鱼背墨色要有浓淡变化。（2）用浓墨勾鱼鳃和鱼身。（3）用有浓淡变化的淡墨画出鱼鳍。（4）点睛，并用颜色加强鱼的整体效果。这里鱼眼用朱磦色勾，其他用淡赭石色渲染。

说明：神仙鱼的品种很多，品种之间主要是色彩和鱼鳍的长短有变化，画法大同小异。此图右下方为一种长尾神仙鱼的画法。

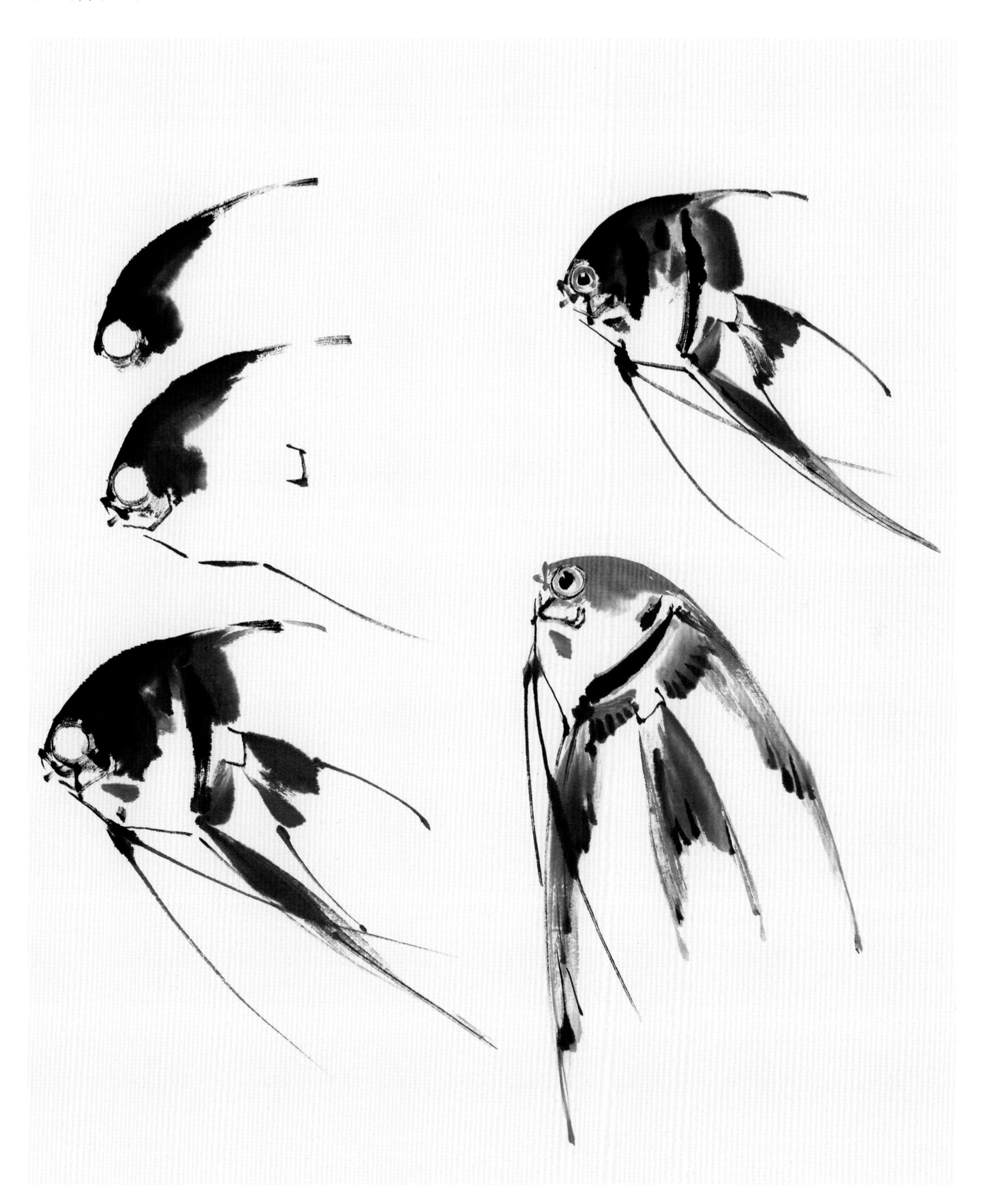

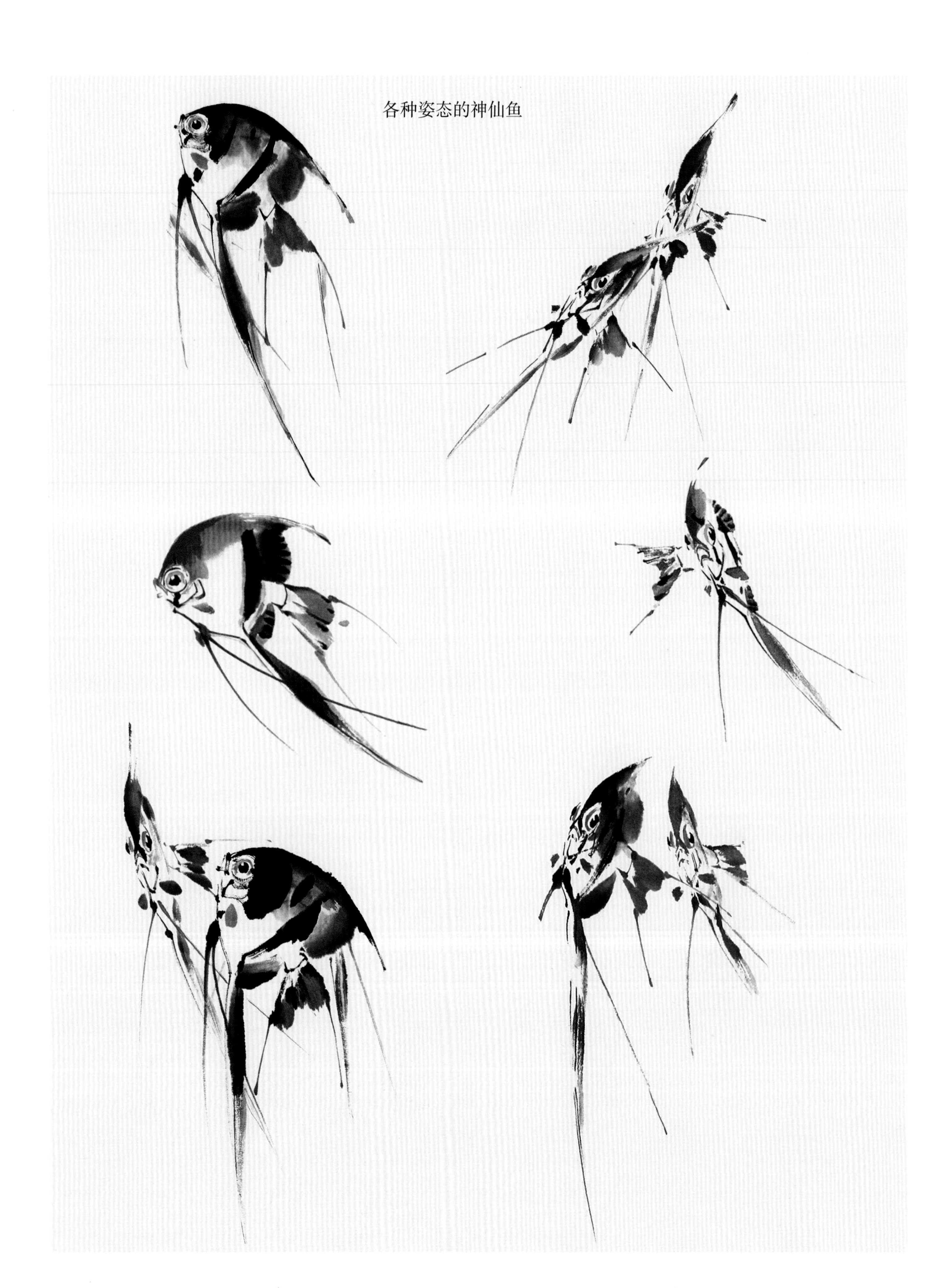
各种姿态的神仙鱼

3. 锦鲤

锦鲤有很多品种，但其品种之间的身体形状并无区别，主要区别在于颜色，这里图中所示为墨色画出的锦鲤。

各种姿态的锦鲤

4. 其他鱼类画法举例

（1）小杂鱼的画法：画法简单，关键是笔墨要流畅，不要刻意求形似，多注意神似。

几种小型观赏鱼的画法，由于其画法与小杂鱼大同小异，只是多用色彩而已，所以这里不再分步骤举例。

（2）桂鱼画法

关键是墨色的浓淡和干湿的运用。

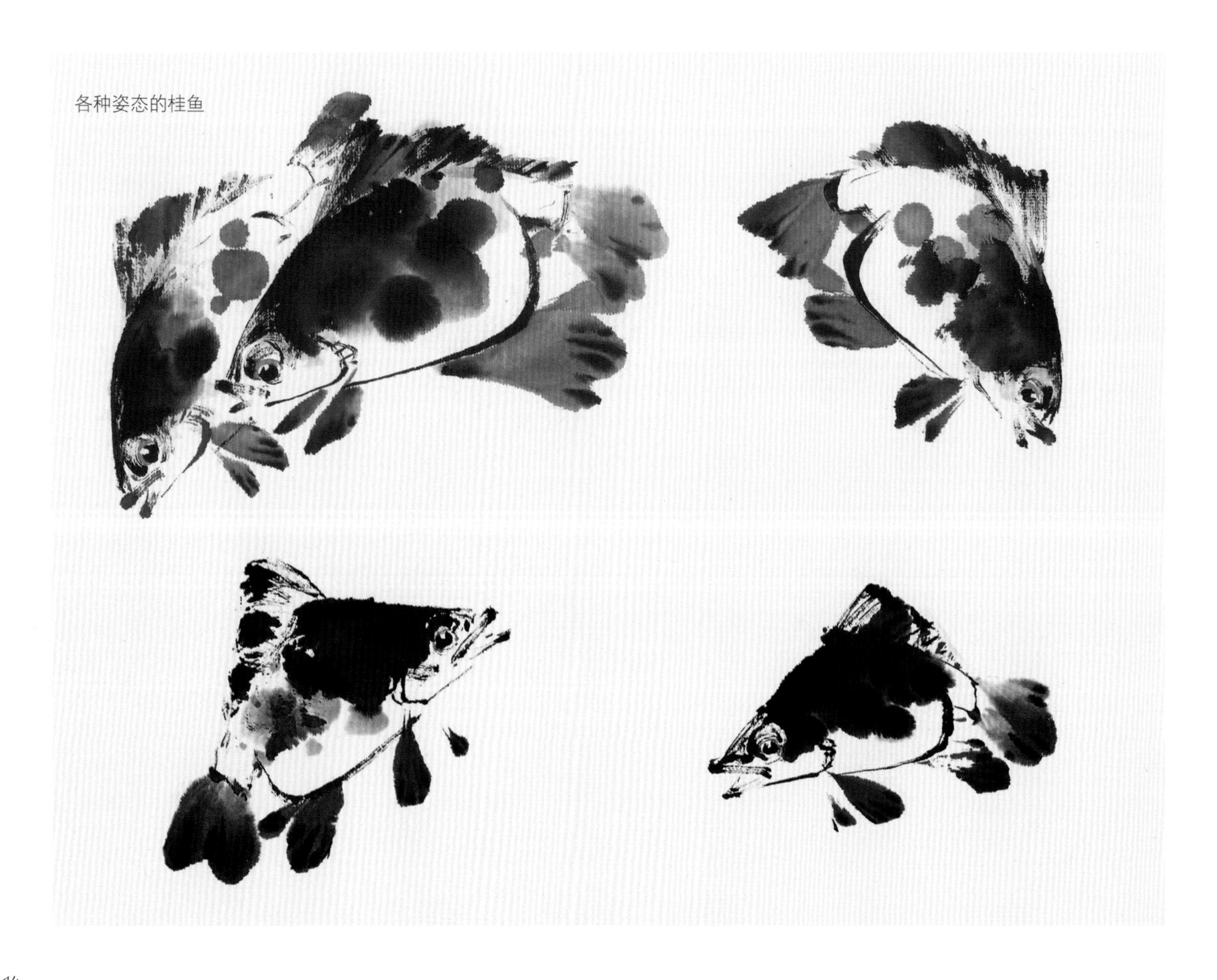

各种姿态的桂鱼

（3）一种长嘴蝶鱼（热带海鱼）的画法

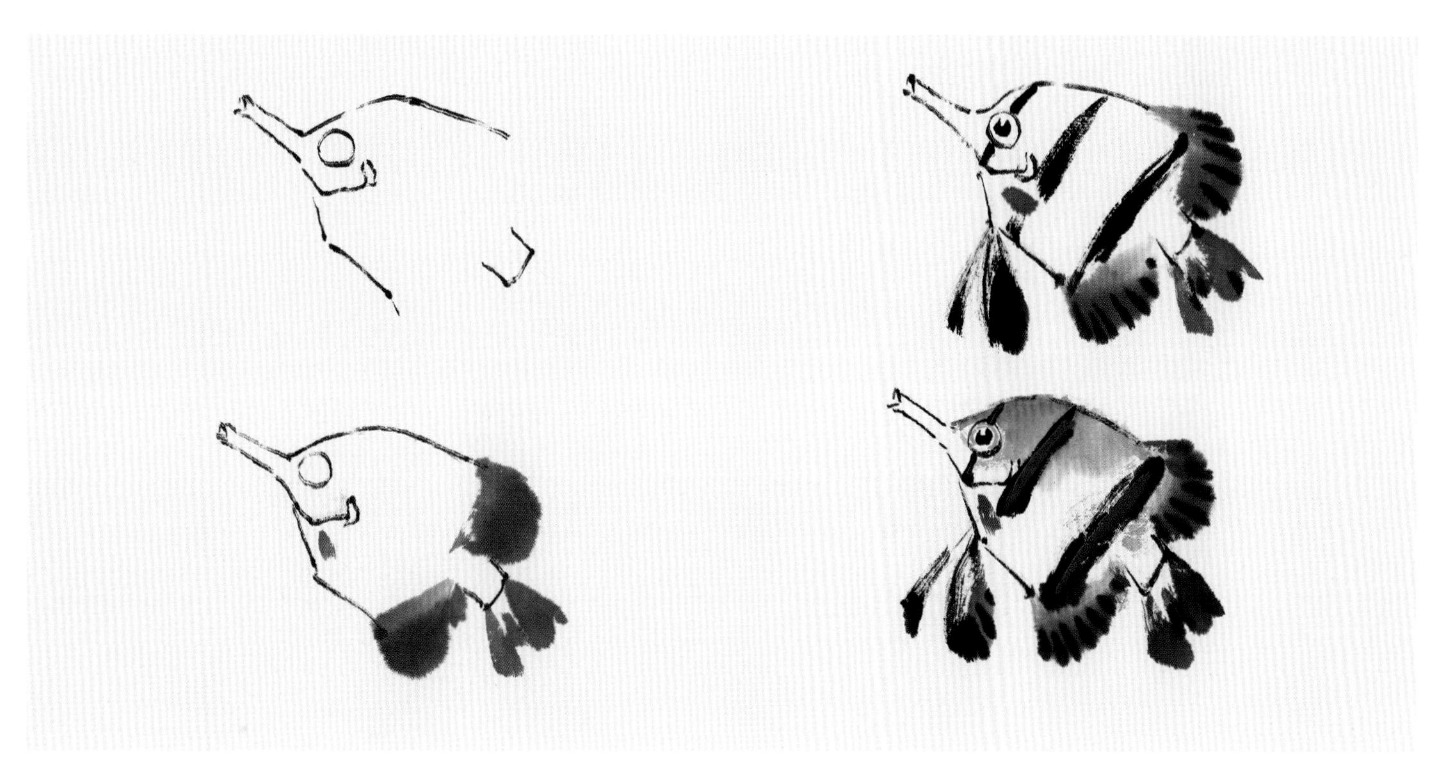

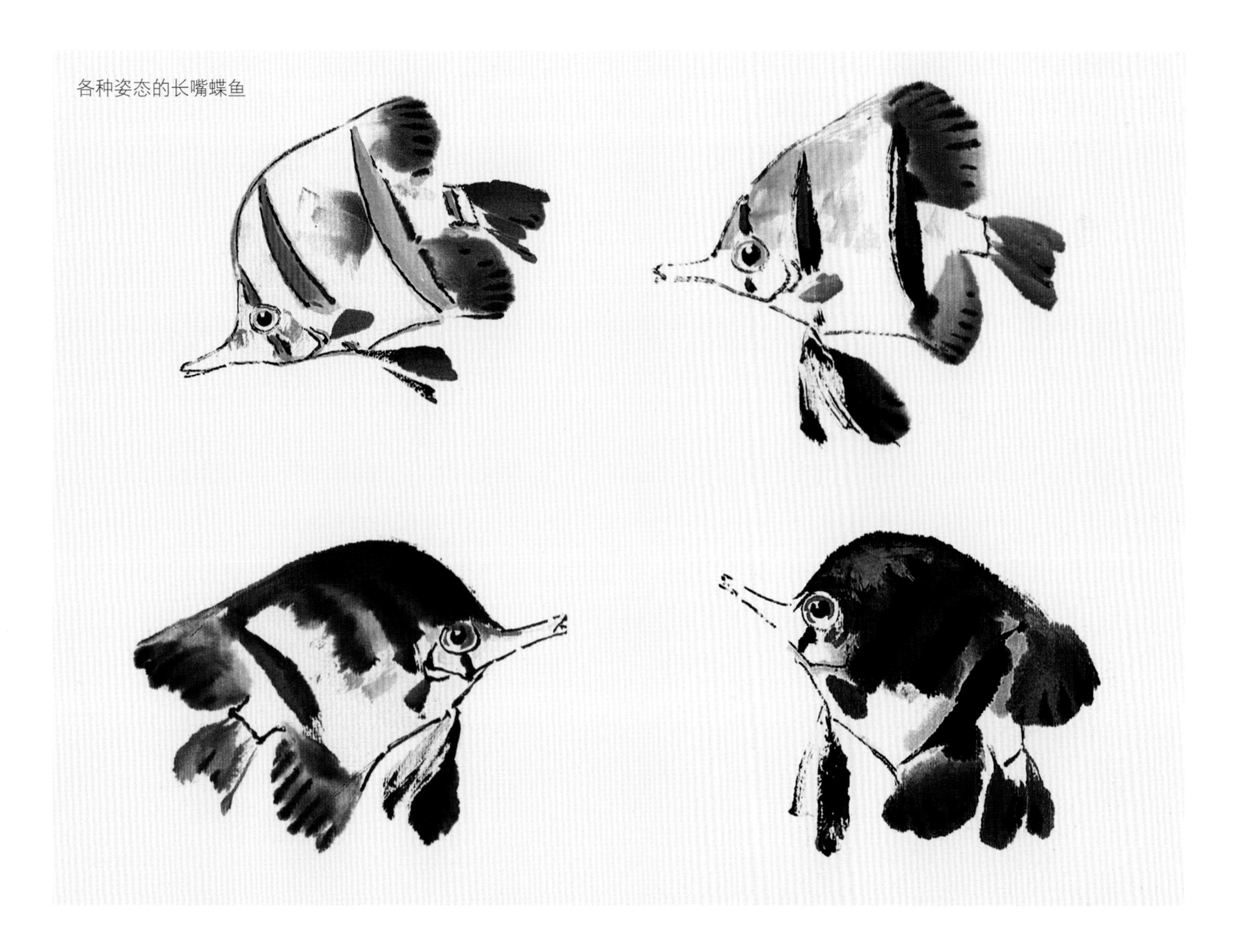

各种姿态的长嘴蝶鱼

（三）水生植物的画法

以鱼类为主题的绘画作品中，常常要用其他的景物来做配景，常见的有三大类：（1）水底的景物，如水草、石头、珊瑚等。（2）生长在水面的植物，如浮萍、睡莲、荷花等。（3）生长在岸边的植物，如桃树、柳树等。

在这里介绍部分水生植物的画法，掌握了一些水生植物画法后，可灵活运用。平时多多观察生活，在创作时充分发挥想象力，自然能画出有生活情趣的好作品来。

作为鱼类配景的水生植物，生长在水下的一般可画得虚一些，概括一些，用色要有变化（水草一般是末稍浓些根部淡些，但整体要偏淡和偏湿）；生长于水面的植物可画得实一些，清晰些，其他画法和水底植物大同小异。

举例：

（1）水底植物

（2）水面植物

三、鱼类创作步骤

（一）九如图

步骤一　用墨色先画三条有疏密变化和动态变化的金鱼，注意墨色变化的运用，尾鳍要画得轻盈飘动。

步骤二　用不同颜色画出其余的金鱼，金鱼的组合要有聚散、疏密的变化，可如图画出不同品种、不同动态的金鱼。

步骤三　用不同的颜色加强金鱼的画面效果，以黑色金鱼为例：用淡红色染鱼背，用石青或石绿画鱼鳍的纹路。

步骤四　用花青加藤黄调出淡绿色画水草。

步骤五　收拾画面，题款盖章，作品完成。

（二）鱼乐图

步骤一　中锋用笔勾出鱼眼和鱼身，侧锋用笔画出有浓淡变化的鱼背、鱼鳍等。

步骤二　画出不同动态、不同角度变化的鱼群，要画出鱼的疏密变化和前后变化（后面的鱼用墨淡些）。

步骤三　给鱼点睛和画出鱼的斑纹，并上色。用朱磦画眼眶，淡花青染鱼身，淡赭墨染鱼鳍等。

步骤四　用花青加藤黄调出淡绿色画水草的叶子，用色要有浓淡变化。

步骤五　画水草枝干，收拾画面，题款盖章，作品完成。

（三）悠游

步骤一　画出三条不同角度变化的热带海鱼，用墨要有浓淡、干湿的变化。

步骤二　用浓墨给鱼点睛，加斑纹，并用墨对鱼身加工收拾。

步骤三　给鱼上色，用曙红画眼眶，淡绿色渲染鱼身，用浓石青色（二青）染鱼背和斑纹。

步骤四　用有浓淡变化的朱磦色画海底的红色海藻。

步骤五　收拾画面，题款盖章，作品完成。

（四）池趣

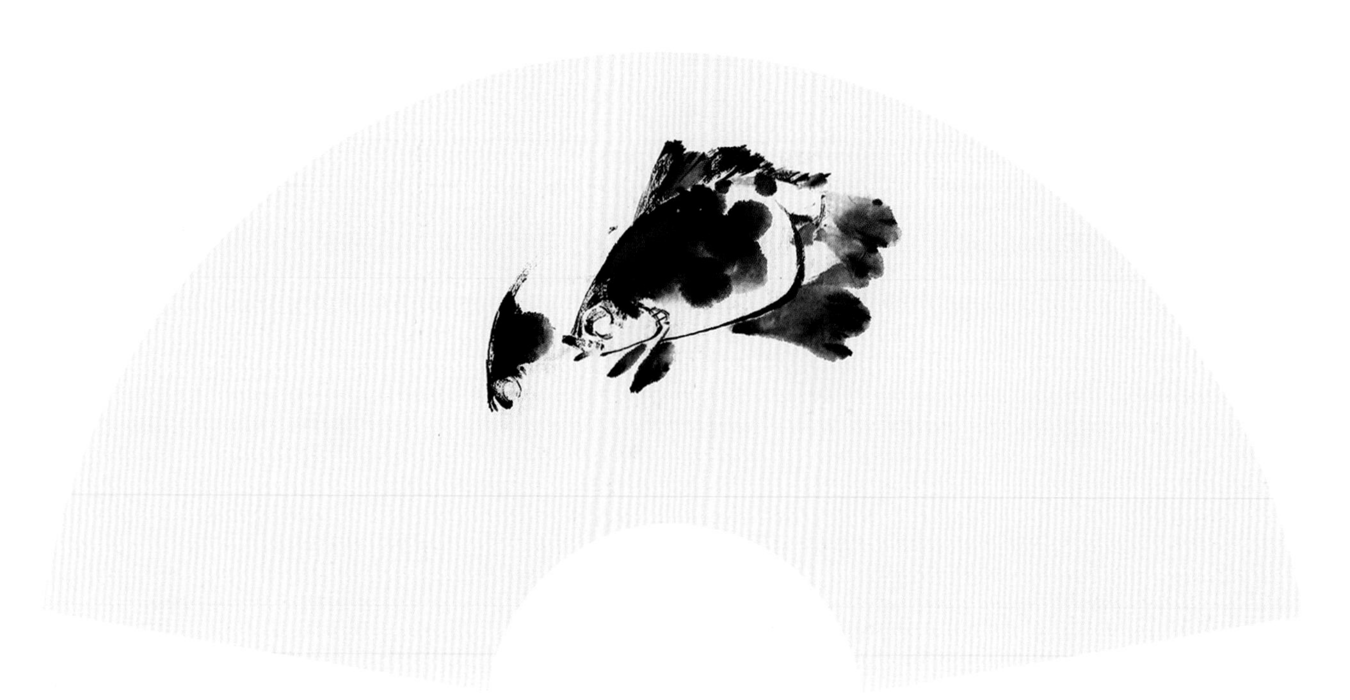

步骤一　用墨色画出桂鱼，注意墨色的浓淡变化。

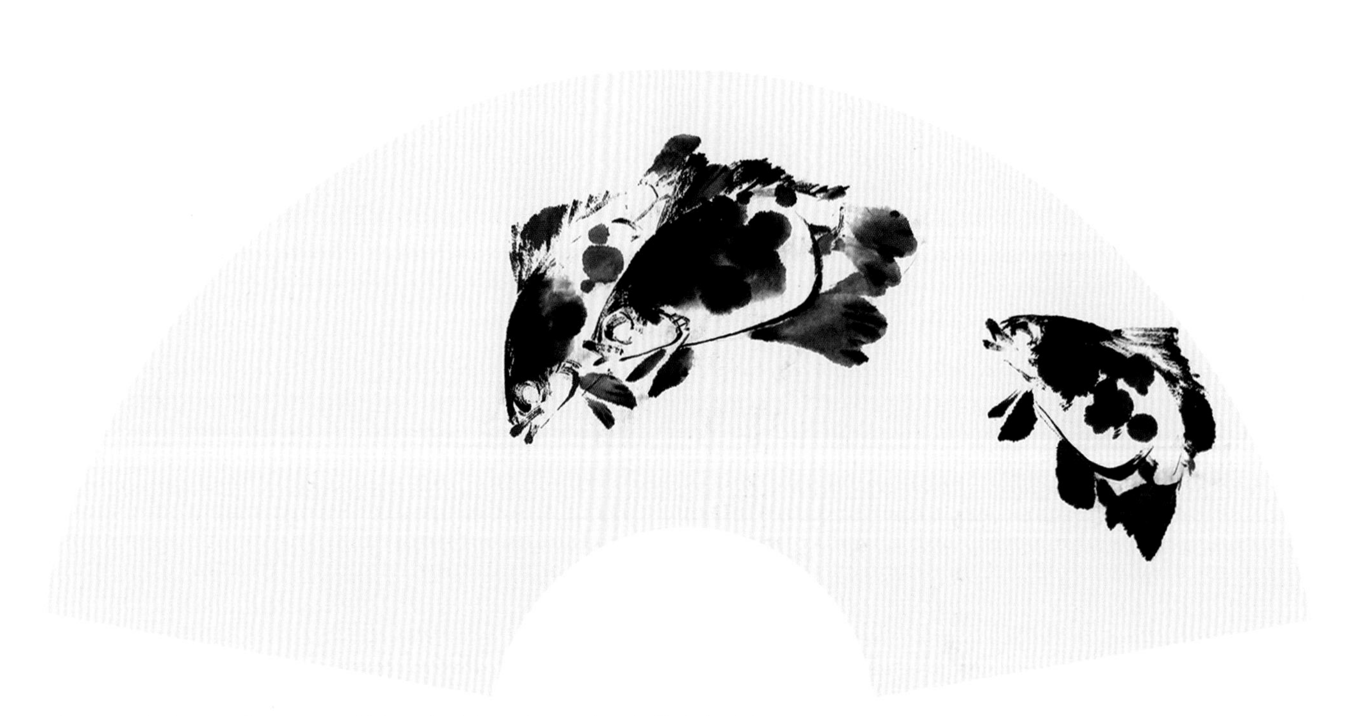

步骤二　根据构图的需要，再补充一条桂鱼，使画面有更好的疏密变化。

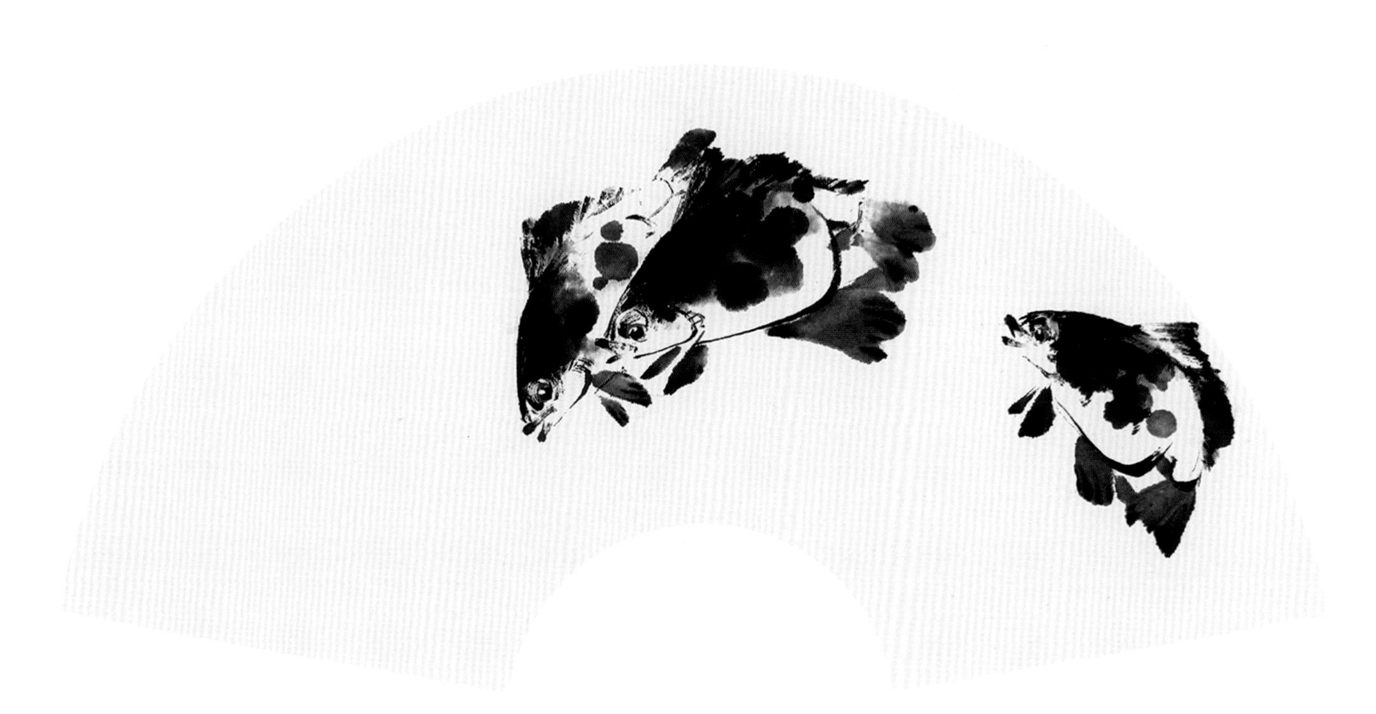

步骤三　用浓墨给鱼点睛，并用朱磦画鱼眼眶，用淡赭石调淡墨染鱼脊。

步骤四　用淡花青调滕黄点水草，注意水草浓淡和疏密变化。最后收拾画面，题款盖章，作品完成。

四、范画与欣赏

黄忠耿　金鱼扇面之一　28 cm×70 cm

黄忠耿　戏藻　68 cm×68 cm

黄忠耿　金鱼扇面之二　28 cm×70 cm

黄忠耿　金鱼扇面之三　28 cm×70 cm

黄忠耿　金鱼扇面之四　28 cm×70 cm

黄忠耿　金鱼扇面之五　28 cm×70 cm

黄忠耿　金鱼扇面之六　28 cm×70 cm

黄忠耿　南海小景　22 cm×58 cm

黄忠耿　鱼乐图之一　21.5 cm×60 cm

黄忠耿　悠然自得　68 cm×68 cm

黄忠耿　珊瑚礁小景之一　22 cm×58 cm

黄忠耿　莲塘小景之一　28 cm×70 cm

黄忠耿　泳萍　21.5 cm×60 cm

黄忠耿　鱼乐图之二　21.5 cm×60 cm

黄忠耿　南海鱼趣之一　68 cm×68 cm

黄忠耿　南海鱼趣之二　22 cm×58 cm

黄忠耿　鱼乐图之三　27.5 cm×68 cm

黄忠耿　池旁　27.5 cm×68 cm

黄忠耿　池趣之一　22 cm×55.5 cm

黄忠耿　南海鱼趣之三　68 cm×68 cm

黄忠耿　池趣之二
68 cm×68 cm

黄忠耿　六如图
68 cm×68 cm

黄忠耿　鱼乐图之四
100 cm × 52 cm

黄忠耿　年年有余
68 cm×136 cm

年年有余
己卯年夏日

黄忠耿　神仙鱼　28 cm×70 cm

黄忠耿　悠然自得
34 cm×100 cm

黄忠耿　初秋　22 cm×58 cm

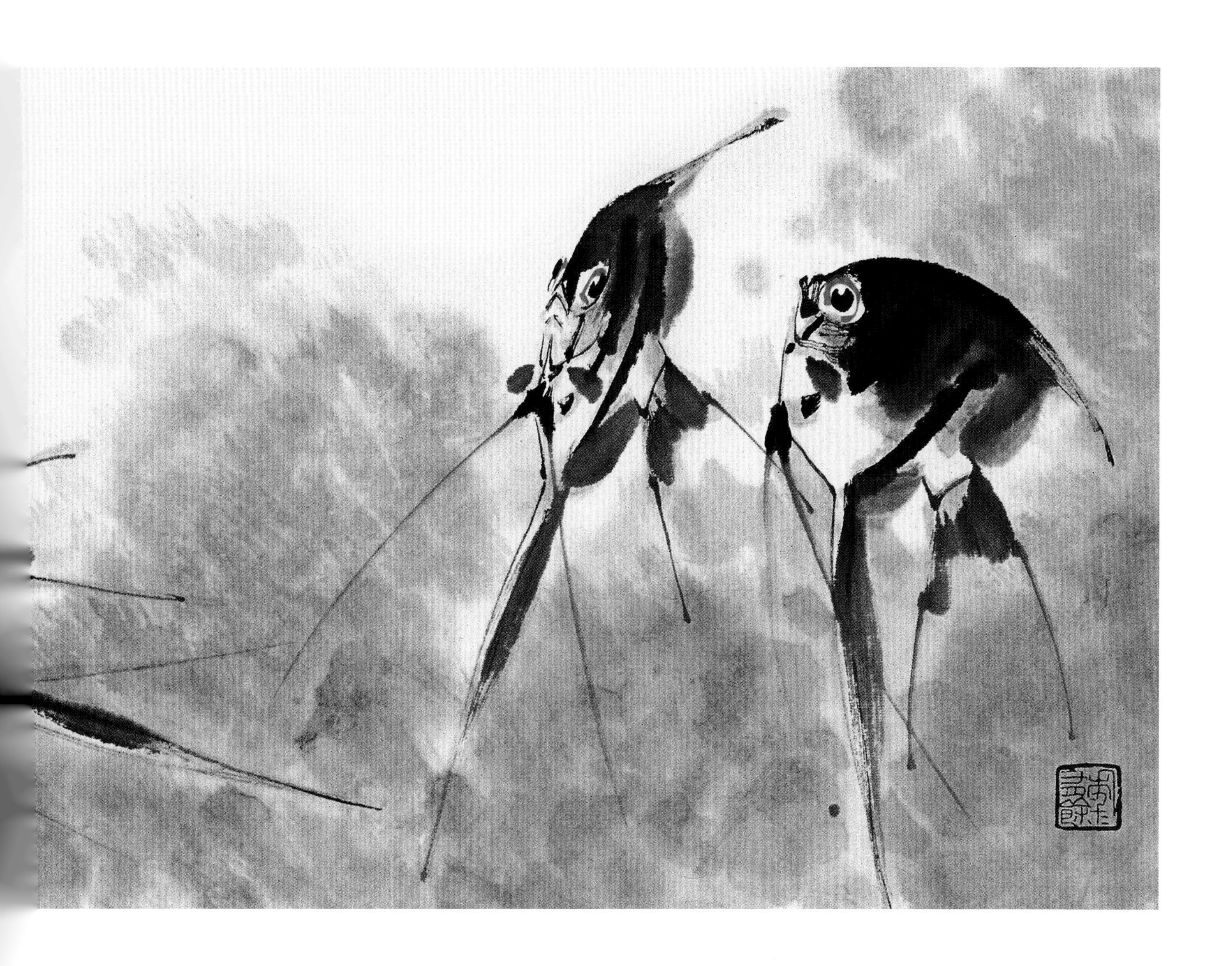

黄忠耿　莲塘小景之二　28 cm×70 cm

黄忠耿　鱼乐图之五　75 cm×68 cm

黄忠耿　五彩神仙　22 cm×58 cm

黄忠耿　九如图　68 cm×68 cm

黄忠耿　鱼乐图之六
100 cm×52 cm

黄忠耿　穿行图之一
68 cm×68 cm

黄忠耿　池趣之三
68 cm×68 cm

黄忠耿　鱼乐图之七　21.5 cm×58 cm

黄忠耿　穿行图之二　68 cm×68 cm

黄忠耿　神仙世界
70 cm×45 cm

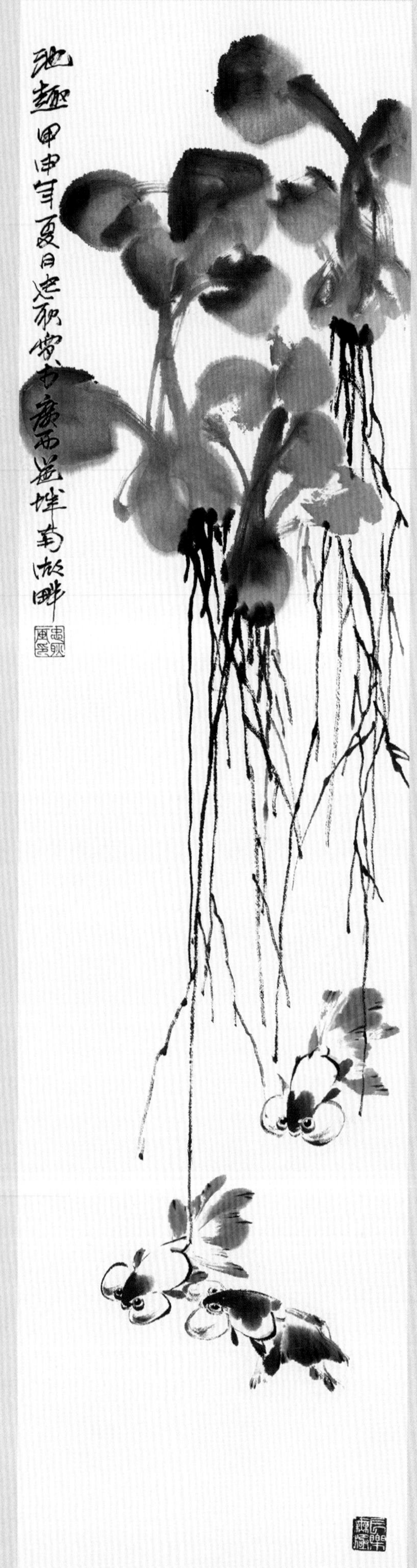

黄忠耿　池趣之四
136 cm × 34 cm

黄独峰　金鱼
35 cm×61 cm　1975年

黄独峰　神仙鱼
35 cm×60 cm　1974年

黄独峰　神仙世界　135 cm×96 cm　1985年